рисунки Е. Монина

Д. Самойлов

Слонёнок пошёл учиться

Издательский дом «НИГМА»
Москва, 2015

УДК 821.161.1-1-93(082)
ББК 84(2=411.2)6-5я44
С 17

Иллюстрации Евгения Монина

Самойлов, Давид

С 17   Слонёнок пошёл учиться: [стихи] / Д. Самойлов; ил. Е. Г. Монина. — М. : Нигма, 2015. — 36 с. : ил.

Перед вами прекрасная весёлая сказка в стихах о маленьком слонёнке, который захотел учиться в школе. Но школы для слонов поблизости не оказалось, и слонёнок оказался в школе для мышей... Мыши сначала с недоверием отнеслись к новому ученику, но потом они подружились и помогли славному и доброму слонёнку освоить чтение. А слонёнок научил их играть на трубе.

Замечательные стихи Давида Самойлова дополнены очаровательными рисунками известного художника Евгения Монина.

УДК 821.161.1-1-93(082)
ББК 84(2=411.2)6-5я44

ISBN 978-5-4335-0285-7

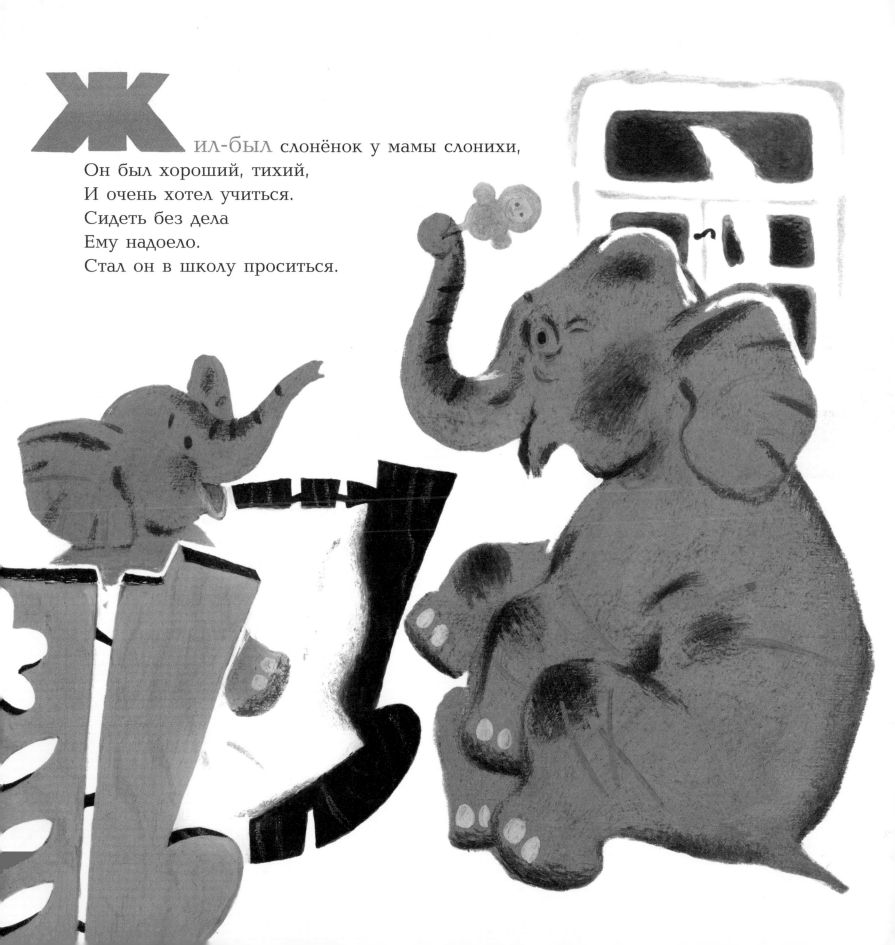

Ж

ИЛ-БЫЛ слонёнок у мамы слонихи,
Он был хороший, тихий,
И очень хотел учиться.
Сидеть без дела
Ему надоело.
Стал он в школу проситься.

СЛОНЁНОК

Мама, я хочу учиться.

СЛОНИХА

Почему тебе вечно не спится?
Закрой глазки.
Расскажу тебе сказки.

СЛОНЁНОК

Не надо мне сказки.
Я хочу учиться!

СЛОНИХА

Нет с тобой сладу.
Хочешь кусок шоколаду?

СЛОНЁНОК

Не надо.
Я хочу учиться.

(Стук в дверь.)

СЛОНИХА

Погоди, там кто-то стучится!
Ах, это волчица!
Заходите, прошу вас садиться!

ВОЛЧИЦА

Шла мимо,
Учуяла запах дыма,
Решила зайти
По пути.
Иду к свинье на именины,
А сама терпеть не могу
свинины.

СЛОНИХА

Не хотите ли у нас
          отобедать?
Прошу вас отведать
Каши из брюквы,
Киселя из клюквы...

ВОЛЧИЦА

Ах, что вы! Я сыта,
          честное слово!

СЛОНИХА

Как жаль, что мы не едим
                                мясного!
Понимаете ли, волчица,
Мой слонёнок хочет учиться.
Но это вопрос тяжёлый:
Как быть со школой?
Что вы скажете о таком
                                безобразии:
Слоновые школы есть
                        только в Азии...
Чтобы туда доставлять
                                ребёнка,
Нужна по крайней мере
                                трёхтонка.

ВОЛЧИЦА

Погодите! Поблизости есть
                школа для зайцев!

СЛОНИХА

Туда слоны не принимаются,
Потому что зайцы пугаются,
С уроков разбегаются
И успеваемость у них понижается.

ВОЛЧИЦА

А птичья школа?

СЛОНИХА

Она в скворечнике.

И к тому же птенцы — насмешники,
Особенно скворцы
            и дрозды-пересмешники.
А мой мальчик тихий.

ВОЛЧИЦА

Ну а медведи?

СЛОНИХА

Они наши соседи.
Я ходила мимо,
Но это невыносимо:
У них каникулы всю зиму.
Лежат и сосут лапу,
Я чуть не оглохла от храпу.

СЛОНЁНОК

(Плаксиво.)

Мама, я хочу учиться!

СЛОНИХА

Вы видите, что творится!
Целый день он твердит о школе,
У меня от этого головные боли.

СЛОНЁНОК

А я всё равно хочу учиться!

СЛОНИХА

Что же делать, волчица?

ВОЛЧИЦА

А очень просто!
Есть школа для мышей.
Туда принимают малышей
Любого роста...

СЛОНИХА

Ах, спасибо!
Вы мне подлинный друг!
А то он совсем отбился от рук...

ВЕДУЩИЙ

Мышиная школа — на горе,
В большой норе.
В этой школе широкие двери,
Чтобы входили все звери,
И маленькие окошки,
Чтоб не пролезли кошки.
Из трубы идёт дым.
Пойдём поглядим!

В мышиной школе идёт урок.
Пение преподаёт сурок.

СУРОК

Разучим песенку «Кот на крыше!».
Пойте тише, тяните выше.
Кто грызёт перья —
Отправлю за дверь я!
Итак, начнём. Подтягивайте сами!
Перестаньте щекотаться усами!

(Мыши хихикают.)

(Сурок играет на скрипке, мыши подпевают.)

Тише, мыши! Кот на крыше!
Тра-ля-ля, тра-ля-ля.
Нас не видит и не слышит,
Тра-ля-ля, тра-ля-ля.
Мышь, веди себя прилично,
Тра-ля-ля, тра-ля-ля.
И учися на «отлично»,
Тра-ля-ля, тра-ля-ля.
Не марай свои тетрадки,

Тра-ля-ля... Тра-ля-ля.
И букварь держи в порядке,
Тра-ля-ля... Тра-ля-ля.
А не то придёт котище,
Тра-ля-ля, тра-ля-ля,
Заберёт тебя в когтища,
Тра-ля-ля, тра-ля-ля.

(Сильный стук в дверь.)

МЫШИ

Ой! Ой! Это он! Это кот!
Прячься под парты! Мне отдавили живот!
Он нас заберёт! Он нас раздерёт!

СУРОК

(Решительно.)

Я поговорю с ним, с разбойником!
Мне никакие коты не страшны!
Кто идёт?

СЛОНИХА

Это мы, слоны:
Слониха со слонёнком.

СУРОК

Если вы звери с понятием,
Вы б не мешали занятиям!
Вздумали во время урока ломиться!

СЛОНИХА

Простите, дорогой сурок,
Уважаемый педагог,
Мой слонёнок пришёл учиться.
Год ему уже шестой,
Он такой у меня развитой,
Такой старательный,
Такой внимательный,

Такой замечательный,
Даже сам бегемот удивляется,
Какой он способный...

СУРОК

Ну что ж, устроим экзамен подробный.
Заходи-ка, слонёнок, в класс.
Ах, какой ты большой у нас!

СЛОНИХА

Да, удивительно быстро растут детишки!

СУРОК

Познакомься!

СЛОНЁНОК

Какие маленькие слоники!
Они все поместятся у нас на подоконнике!

СУРОК

Это не слоники. Это мышата и мышки.

СЛОНИХА

Какие чудесные малышки!
И смотрите, уже читают книжки!

СУРОК

Заходи, слонёнок! Вот так!
Осторожнее, не свороти косяк,
Не раздави шкаф, не сядь на своих
одноклассников!

Мышата, освободите четыре
парты
У географической карты.
Ну как? Уселся?

СЛОНЁНОК

Да.

СУРОК

Остальное — не беда.
Итак — как тебя зовут?

СЛОНЁНОК

Не знаю.

СУРОК

А где слоны живут?

СЛОНЁНОК

Не знаю.

СУРОК

А сколько тебе лет?

СЛОНЁНОК

Не знаю.

СУРОК

А что ты ел на обед?

СЛОНЁНОК

Не знаю.

СЛОНИХА

Он знает! Он растерялся! Это простительно малышу.
Разрешите, я сама спрошу.
Что ты ел на обед?

(Подсказывает.)

Брю...

СЛОНЁНОК

...ки!

СЛОНИХА

Не «ки», а «кву»!

18

СЛОНЁНОК

Кву!

СЛОНИХА

Правильно! Брюкву! А что ещё?

(Подсказывает.)

Клю...

СЛОНЁНОК

...кву!

СЛОНИХА

Правильно — клюкву. С чем?

(Подсказывает.)

С бул...

СЛОНЁНОК

...кой!

СЛОНИХА

С какой?

СЛОНЁНОК

Со сдобной!

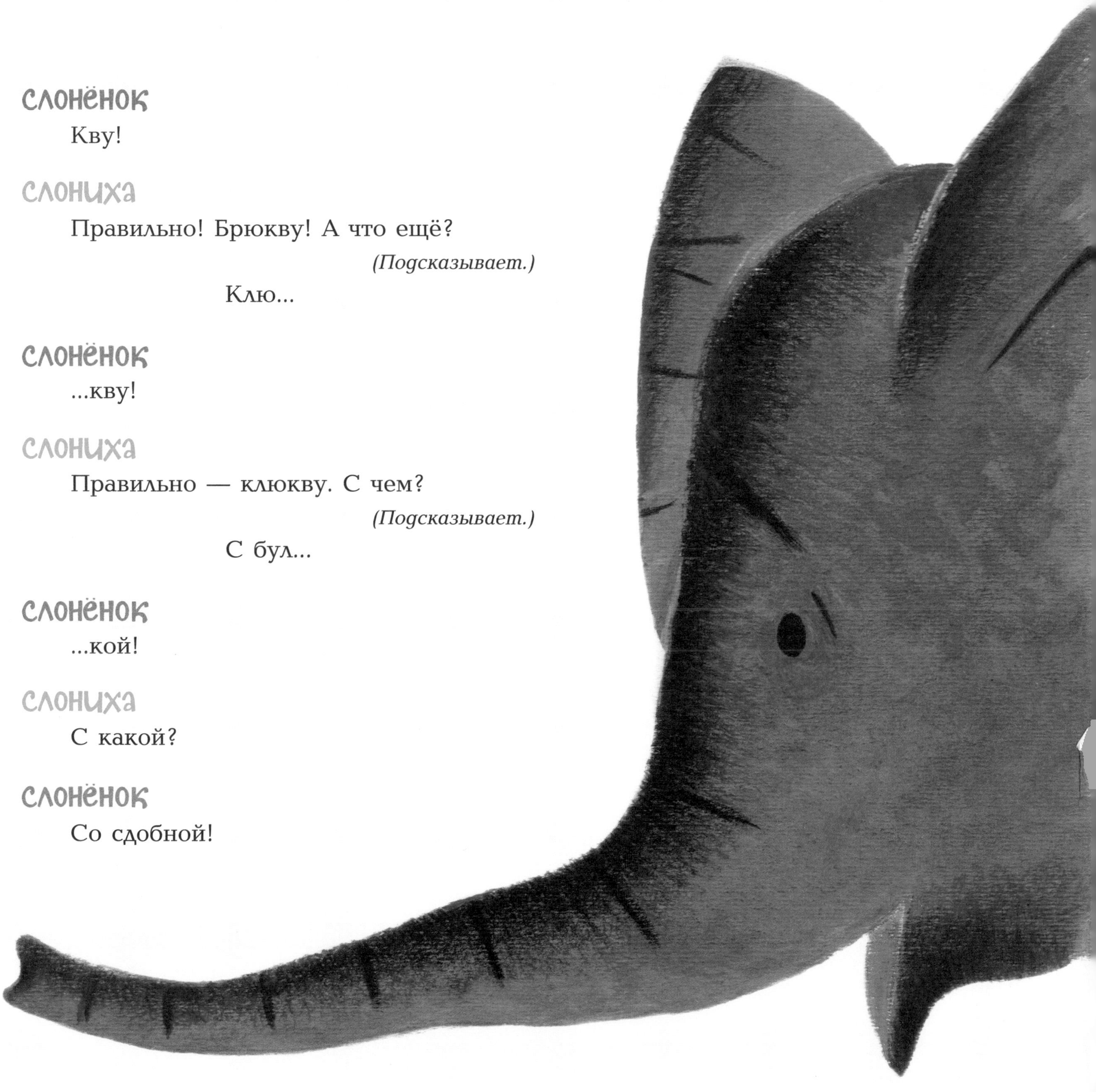

СЛОНИХА

Вы видите, какой он у меня способный!

СУРОК

Да, конечно, способности есть.
А ты мог бы что-нибудь прочесть?

СЛОНЁНОК

Не умею.

СУРОК

А ты умеешь считать?
Сколько будет дважды два?

СЛОНЁНОК

Пять.

СУРОК

Я сам его не могу принять.
Пройдёмте к директору,
                          товарищ слониха.
А вы, мышата, сидите тихо.

МЫШАТА

Ой, ой-ой!
Какой он большой!
Он намного больше нас,
А явился в первый класс.
Стыдно!
Он читать не умеет, писать не умеет.
Ленивый, видно.

Стыдно! Стыдно!
Такой здоровенный! Слон!
                    Слонище! Слонятина!
Он как дом!
Нет, как целая улица!
Как земной шар!
Он, наверное, стар!

СЛОНЁНОК

Нет, я не стар,
Честное слово, я — слонёнок.
Я ещё ребёнок.
Я совсем не виноват,
Что немного толстоват.
Я не ленивый,
Я просто такой несчастливый,
Большущий и необразованный...

(Плачет.)

ВЕДУЩИЙ

Стал слонёнок плакать,
Стали слёзы капать,
Сперва — струйкой, потом — ручейком, потом — рекой.

СЛОНЁНОК

Ох, я бедный такой, разнесчастный такой!

ВЕДУЩИЙ

Слёзы из слоновых глаз
Затопили целый класс.
У мышей началось волнение:

22

МЫШИ

Наводнение! Наводнение!
Мыши! Мышатки!
Спасайте книжки, тетрадки!
Что с ним делать!
Перестань плакать!
Развёл тут слякоть!
Ох и попадёт нам, между прочим!
Мыши, давайте его пощекочем.

ВЕДУЩИЙ

Стали мыши слона щекотать,
Перестал он плакать, стал хохотать.

СЛОНЁНОК

Ха-ха-ха! Хо-хо-хо!

ВЕДУЩИЙ

Минуту хохочет, две хохочет,
Никак остановиться не хочет.
И мыши смеются вокруг...
Но вдруг...
Раздаётся стук.

(Стук в дверь.)

КОТ

(Из-за двери.)

Что здесь за смех в мышиной школе?
Обалдели, что ли?
Я спал на диване,
Видел сон о сметане.
Как вы посмели меня разбудить!
Вот сейчас я расправлюсь с вами!

24

МЫШИ

Мы боимся! Мы хотим к маме!

СЛОНЁНОК

Ну и смех! Ну и смехота!

МЫШИ

Смотрите! Он не боится кота!

СЛОНЁНОК

Чепуха! Мелкота!

МЫШИ

Он никого не боится!
Он может за нас заступиться!

СЛОНЁНОК

Конечно! Эй ты, кот!
Если будешь обижать малышей,
Я тебя прогоню взашей!
Попробуй ещё раз тут появись!
Брысь!

МЫШИ

Брысь! Брысь! Брысь!

КОТ

(Любезно.)

Простите! Я очень крепко спал
И спросонья совсем не туда попал.
Я шёл к свинье на именины. Меня туда звали,

Но, видно, адрес неверный дали.
Я бы зашёл к вам, посидел,
Но знаете — столько дел,
Что я от них совсем похудел...
До свиданья!

(Мыши смеются.)

1-й мышонок

Мышата! Слонёнок нас спас,
Пусть он ходит в наш класс!

2-й мышонок

Мы и в науке поможем тебе.

МЫШИ

Хитрый кот от нас умчался,
Тра-ля-ля...
Он слонёнка испугался,
Тра-ля-ля...
Он упал от страха с крыши,
Тра-ля-ля...
И над ним смеются мыши,
Тра-ля-ля...

3-й МЫШОНОК

Видишь эти буквы? Это А и Б.

Ч-й МЫШОНОК

Повтори: А и Б.

СЛОНЁНОК

А и Б.

МЫШАТА

Молодец.

МЫШОНОК

Так. А теперь бери мел.

СЛОНЁНОК

Это мел?

МЫШОНОК

Но зачем ты его съел?

СЛОНЁНОК

А я думал, что это рафинад,
И попробовать захотел.

МЫШОНОК

А это доска.
Вот так пишется буква К.
Похожа на человечка: здесь рука,
А тут две ноги.

СЛОНЁНОК

Не получается. Помоги.

МЫШОНОК

Хорошо, помогу. А это
                        буква У.
К и У — будет КУ.
К и О — будет КО.

СЛОНЁНОК

Ку-ку-ку! Ко-ко-ко!
Это всё не легко.

30

МЫШАТА

Ничего. Мы поможем

тебе.

СЛОНЁНОК

А я научу вас играть на трубе.

МЫШАТА

Значит, ты умеешь играть на трубе? Даже по нотам?

СЛОНЁНОК

Конечно, по нотам.
Пустяки! Чего там!
Ба!
А вот на стенке висит труба.
Давайте споём и сыграем.
Итак, начинаем.

песенка

Слон играет на трубе,
А мышата пляшут.
Как платочками, они
Хвостиками машут.
Тра-та-та — труба играет,
И от этой суеты
Убегают, удирают
Все окрестные коты!

Слон с мышатами — друзья,
Вместе им не тесно.
Стало весело слону,
Мышкам интересно.
Тра-та-та — труба играет,
И от этой суеты
Убегают, удирают
Все окрестные коты!

Научился слон писать,
Он читает книжки.
В арифметике ему
Помогают мышки.
Тра-та-та — труба играет,
И от этой суеты
Убегают, удирают
Все окрестные коты!

Литературно-художественное издание

Давид Самойлов

СЛОНЁНОК ПОШЁЛ УЧИТЬСЯ

Стихи

Для чтения взрослыми детям

Иллюстрации *Евгения Монина*

Ответственный редактор *Е. Карпова*
Художественный редактор *Н. Акимова*
Корректоры: *С. Войнова, А. Никитина*
Вёрстка и допечатная подготовка:
А. Кудрявцев, А. Ткаченко,
студия «FOLD & SPINE»

Подписано в печать 29.07.2015. Формат 60x90/6
Усл. печ. л. 6. Тираж 5000 экз. Заказ № 8517

ООО Издательский дом «НИГМА»
119021, ул. Россолимо, д. 4
Телефон: (495) 921-39-07
www.nigmabook.ru

Отпечатано с электронных носителей издательства
ОАО «Тверской полиграфический комбинат»
170024, г. Тверь, пр-т Ленина, д. 5
Телефон: (4822) 44-43-60, (495) 748-04-67
Телефон/факс: (4822) 44-98-42